ÖSTERREICH

von David Gibbon und Ted Smart
Deutscher Text von Lieselotte Julius
Englische Bildunterschriften auf Seite 64
English captions on page 64

DELPHIN

© Colour Library International Ltd., 1979.
© Deutsche Ausgabe: Delphin Verlag GmbH, München und Zürich, 1980.
Titelfoto: Foto Löbl-Schreyer, Bad Tölz
Printed and bound by SAGDOS – Brugherio (MI), Italy.
ISBN 3.7735.4216.X

Einführung

Österreich ist ein Land mit einer großen, ruhmreichen Vergangenheit. Rudolf von Habsburg, 1273 zum deutschen König gewählt, besiegte 1278 in der Schlacht auf dem Marchfeld bei Wien seinen Widersacher Ottokar II. von Böhmen, dem er die Herzogtümer Österreich und Steiermark entriß. Vier Jahre später belehnte Rudolf seine Söhne mit diesen Gebieten und begründete damit die Hausmacht der Habsburger, die in der Folgezeit, nicht zuletzt durch sorgfältig geplante Heiraten, zu einer der mächtigsten Dynastien Europas wurden. Nahezu sechseinhalb Jahrhunderte herrschten die Habsburger über einen Vielvölkerstaat, zu dem in unterschiedlichen Epochen das heutige Polen, die Tschechoslowakei, Ungarn, die Ukraine, Rumänien, Jugoslawien und Italien ganz oder teilweise gehörten. Der Erste Weltkrieg endete mit dem Zusammenbruch der österreichisch-ungarischen Monarchie und ihrer Aufteilung im Frieden von Saint-Germain, durch den Österreich 1919 zur Republik wurde. Es folgte ein Vierteljahrhundert sozialer und wirtschaftlicher Unruhen und mit dem Einmarsch der deutschen Wehrmacht 1938 der gewaltsame »Anschluß« an das Deutsche Reich. Doch die politischen Wirren und Depressionen werden verklärt durch die Erinnerung an die zumindest scheinbar heiteren, unbeschwerten Vorkriegszeiten unter Kaiser Franz Joseph, und selbst heute noch verblaßt die Gegenwart vor dem nostalgischen Bild jener strahlenden Vergangenheit der Hofbälle oder vor dem goldenen Zeitalter kultureller Hochblüte im 18. Jahrhundert unter der Landesmutter Maria Theresia.

Kultur hatte im Leben der Österreicher von jeher eine zentrale Rolle gespielt. Seit den Tagen der ersten Minnesänger, als Walther von der Vogelweide im 12. Jahrhundert am Hof der Babenberger seine scharfen, treffsicheren Spruchdichtungen vortrug, wußten sie die Künste zu schätzen und zu fördern. In der Malerei reicht die Tradition von den romanischen Fresken im Dom von Gurk bis zur Wiener Schule des Fantastischen Realismus; Österreichs Beitrag zur Weltliteratur umfaßt Namen wie Grillparzer, Stifter und Hofmannsthal, doch vor allem ist es das Land der Musik. Im 15. Jahrhundert gründete Maximilian I. ein Hoforchester, und bald hatte jeder Feudalherr nicht nur sein eigenes Orchester, sondern auch seinen eigenen Komponisten. Damit begann die lange Tradition, durch die so viele berühmte Musiker, unter ihnen Gluck, Haydn, Beethoven, Schubert und zahllose andere, aufs engste mit Österreich und insbesondere mit Wien verbunden waren. In den Dachgeschossen der Wiener Bürgerhäuser haben Generationen von Musikstudenten unverdrossen geübt, um ans Ziel ihrer ehrgeizigen Träume zu gelangen – sei es als Heldentenor in einer Wagner-Oper oder als Schlagzeuger im Neujahrskonzert der Wiener Philharmoniker. Wien ist das Reich des Walzerkönigs Johann Strauß, dessen einschmeichelnde Melodien überall in der Welt erklangen und von der unbeschwerten Heiterkeit und Schönheit der vergnügungssüchtigen Hauptstadt und von der unvergleichlichen Landschaft Österreichs kündeten.

Wiens Museen und Gemäldegalerien gehören nach wie vor zu den berühmtesten Europas. Das Burgtheater, das im 19. Jahrhundert als beste deutschsprachige Bühne galt, steht immer noch hoch im Kurs. Die nach dem Krieg wiederaufgebaute Staatsoper genießt weltweiten Ruf, und alljährlich strömen die bedeutendsten Komponisten, Dirigenten, Sänger und Instrumentalisten nach Salzburg zu den Festspielen. Die Musik spielt wie eh und je eine zentrale Rolle, und das gilt für die originalgetreu kostümierte Operndiva genauso wie für die Heurigen-Sänger und Zitherspieler in Lederhosen, für die sorgfältig geschulten Wiener Sängerknaben, die in der Burgkapelle eine Messe von Mozart zelebrieren, wie für die Jodler, die in den Dorfstraßen Tirols plötzlich ihren Gesang anstimmen.

Die österreichische Architektur ist stark vom Barock geprägt. Dieser neue, prachtvolle Baustil entstand im Zuge der Gegenreformation. Aus dem Grauen der Pestepidemie im Jahre 1679, als sich Leichenberge in den Straßen türmten, erwuchs ein betontes Lebensgefühl, ein Bedürfnis nach Glanz und Schönheit, das im Barock mit vergoldeten Heiligen und Engeln, hohen Säulen, prächtigen Deckengemälden und schimmernden Kuppeln seine Entsprechung fand. Zum Teil mag es Flucht vor der Wirklichkeit in eine Traumwelt gewesen sein, vergleichbar der Zuwendung zur Vergangenheit, der man im heutigen Österreich immer wieder begegnet.

Doch neben sentimentaler Nostalgie steht ein gesunder Sinn für die Realität. Durch den Staatsvertrag von 1955, in dem die Neutralität Österreichs und der Abzug der Besatzungstruppen festgelegt wurden, war die Grundlage für eine stabile, fortschrittliche Entwicklung gegeben. Verkehrs- und handelspolitisch fällt Österreich eine wichtige Rolle in Europa zu: in Ost-West-richtung durch die Donau, in Nord-Südrichtung über die Alpenpässe. Graz bildet das Tor zu den Balkanländern, Klagenfurt liegt an den wichtigen Routen nach Italien und Jugoslawien, und Linz ist in den siebziger Jahren zu einem bedeutenden Industriezentrum geworden. Vor allem aber sind es die Naturschönheiten – wie die kristallklaren Seen des Salzkammerguts oder die schneebedeckten Berge Tirols –, die auf zahlreiche Touristen immer wieder ihre Anziehungskraft ausüben.

1 *Links:* Unberührte Winterlandschaft in Vorarlberg.

2 Im Nordosten Österreichs liegt an der Donau die alte Kaiserstadt Wien mit ihren schönen Gebäuden, Schlössern und Parks. Hinter dem Burgtheater *(oben)* wird die Stadtsilhouette auch heute noch vom Turm des Stephansdoms beherrscht (1433). Der Volksgarten *(links)* bietet Ruhe und Erholung. Die Anfänge von Schloß Schönbrunn *(rechts und oben links)* reichen ins 14. Jahrhundert zurück. Der heutige Bau wurde jedoch 1689 unter Leopold I. begonnen und unter Maria Theresia vollendet.

Nächste Seiten: Der »Jäger im Schnee« von Pieter Breughel dem Älteren gehört zu den Meisterwerken europäischer Malerei im Kunsthistorischen Museum.

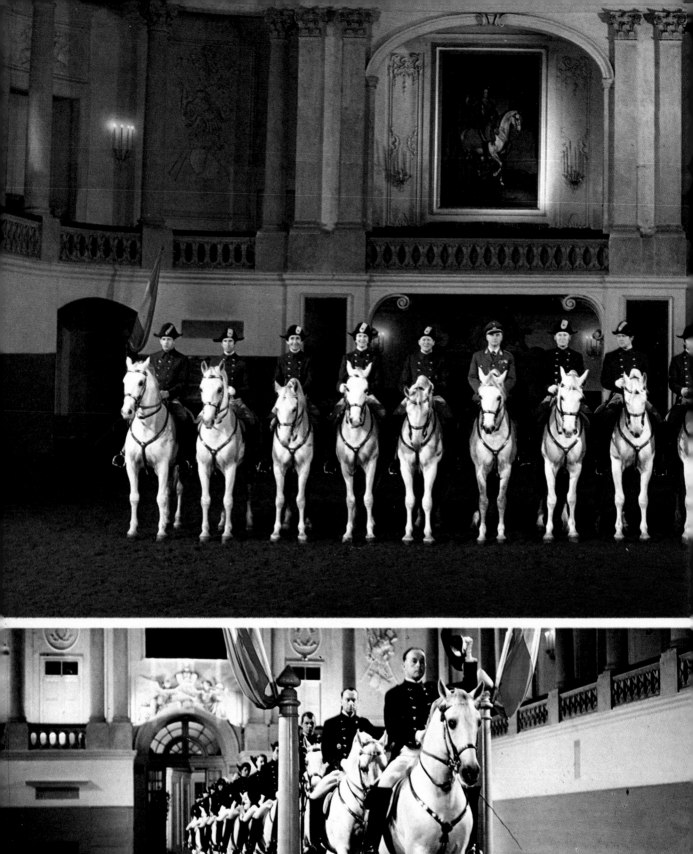

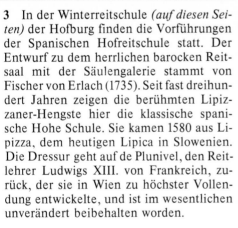

3 In der Winterreitschule *(auf diesen Seiten)* der Hofburg finden die Vorführungen der Spanischen Hofreitschule statt. Der Entwurf zu dem herrlichen barocken Reitsaal mit der Säulengalerie stammt von Fischer von Erlach (1735). Seit fast dreihundert Jahren zeigen die berühmten Lipizzaner-Hengste hier die klassische spanische Hohe Schule. Sie kamen 1580 aus Lipizza, dem heutigen Lipica in Slowenien. Die Dressur geht auf de Plunivel, den Reitlehrer Ludwigs XIII. von Frankreich, zurück, der sie in Wien zu höchster Vollendung entwickelte, und ist im wesentlichen unverändert beibehalten worden.

4 Die Weinberge an den Ufern von Österreichs Flüssen und Seen *(unten)* sind gekrönt von Märchenschlössern und Kirchen. Schloß Schönbühel *(oben)* liegt auf einem fast 400 Meter hohen Steilfelsen über der Donau. Das barocke Benediktinerstift Melk *(links)* ist das imposante Tor zur Wachau, an deren Eingang die hübsche alte Weinstadt Krems liegt *(rechts)*. Hallstatt spiegelt sich in den dunklen Wassern des Hallstätter Sees. Sein Salzbergwerk ist das größte Österreichs und das älteste der Welt *(nächste Seiten)*.

5 Zwei Drittel der Bodenfläche Österreichs nehmen die Ostalpen und 66 Seen ein. Am Wolfgangsee liegt St. Gilgen *(rechts)* und St. Wolfgang *(oben rechts und unten)* mit dem Hotel »Weißes Rößl«, das durch Benatzkys Operette Weltruhm erlangte. Bei Filzmoos *(links)* erhebt sich die an eine Mitra erinnernde Bischofsmütze 2600 m hoch. Das Kitzbüheler Horn *(oben)* blickt auf die schmucken Bauernhäuser von St. Johann in Tirol, und unweit davon liegt Ellmau *(nächste Seiten)* vor der Kulisse des Wilden Kaisers.

6 An den Ufern der Salzach liegt die Kunststadt Salzburg *(diese Seiten und die nächste)*. Die harmonische Verbindung von prunkvollem Barock und schlichtem einheimischen Stil haben es zu einer der schönsten Städte der Welt gemacht. Salzburg wird im Westen überragt von den Kuppen des Mönchs- und Festungsbergs, wo Erzbischof Gebhard 1077 mit dem Bau der Festung Hohensalzburg *(oben)* begann. Der Dom *(unten und rechts)* in seiner jetzigen Gestalt stammt aus den Jahren 1614 bis 1628.

7 Tirol *(auf diesen Seiten)* nannte man in früheren Zeiten das Land der Berge. Die hohen Türme der Dorfkirchen wirken zwergenhaft inmitten dieser Landschaft von tiefen Tälern, grünen Matten, steilen, tannenbewachsenen Hängen und gezackten Gipfeln.

8 Seit vielen Jahren genießt Österreichs Skisport Weltruf. Aber seine Schneehänge bieten nicht nur Gelegenheit, das sportliche Können zu verbessern, sondern auch die unvergleichliche Schönheit der winterlichen Berge zu genießen, wie hier am Kitzsteinhorn *(oben und nächste Seiten)*.

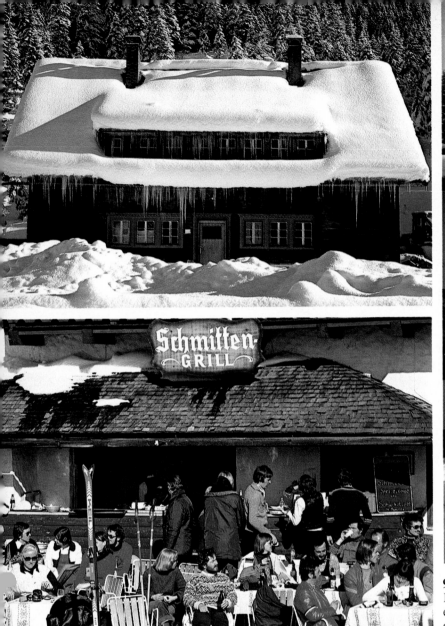

9 Kitzbühel *(unten links)*, einst ein altes Handels- und Bergbaustädtchen, ist heute ein internationaler Wintersportplatz. Die schmucken Häuser mit den vorspringenden Giebeldächern werden umrahmt von dem einmaligen Panorama der Kitzbüheler Alpen *(auf diesen Seiten)*. Fieberbrunn *(oben)*, in deren Ausläufern gelegen, ist für seine Schwefelquellen berühmt.

10 In den Anfangszeiten des Skisports beeinträchtigten unpraktische Hosen oder lange Röcke die Bewegungsfreiheit. Die rasante Entwicklung dieses Sports hat seither eine Fülle von Neuerungen gebracht, die für ständig mehr Komfort sorgen. Seilbahnen, Sessellifte und Schlepplifte erschließen dem Besucher die schönsten Gegenden ohne mühevollen Aufstieg. Hochsölden *(nächste Seiten),* eines der hochalpinen Urlaubszentren.

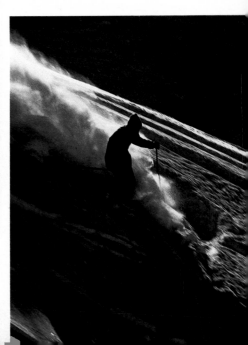

11 Hand in Hand mit der zeitlosen Schönheit natürlicher Landschaften wie dem Biberkopf *(oben rechts),* Berwang *(rechts)* oder dem grünen Fernsteinsee *(links)* geht die Liebe zur Tradition. *Unten:* eine Dorfmusikkapelle in Tiroler Tracht. Die Dorfkirche von Mosern bei Seefeld *(oben)* bietet einen grandiosen Blick auf das Inntal.

Nächste Seiten: Kirchberg.

12 Die Holzhäuser in Alpbach *(oben und rechts)* fügen sich harmonisch in die Bergwiesen ein. Im Zillertal *(links und unten)* führt der Weg über blühende Matten hinauf in die Regionen ewigen Schnees.

Nächste Seiten: Pertisau am Achensee.

13 Die Städte und Dörfer des Zillertals, im Frühling und Sommer eingebettet in blühende Bergwiesen, bieten im Winter ein völlig verändertes, aber nicht minder reizvolles Bild. Inmitten der Zillertaler Alpen *(rechts)* liegt eine imposante Gletscherregion.

14 Innsbruck *(oben)* ist die Landeshauptstadt Tirols. Nicht zuletzt die unvergleichliche Lage am Fuße der Nordkette macht es zu einem beliebten Ziel für Touristen. Die Maria-Theresien-Straße *(links)* mit Blick auf die Nordkette und die Annasäule ist wohl das bekannteste Ansichtskartenmotiv. *Unten:* Ein von Blumen und Bäumen umsäumter Teich im Stadtpark. *Rechts:* Sonnenuntergang im Inntal.

Nächste Seiten: Das alte Städtchen Zirl am Fuße der tannenbewaldeten Hänge.

15 In den Wintermonaten zeigt sich die Gebirgslandschaft von besonderem Reiz durch den Gegensatz zwischen Dörfern mit ihren von Lärchen und Tannen umrahmten Kirchen und der gewaltigen schneebedeckten Bergkulisse im Hintergrund. Zu den Skihängen zieht es viele nicht nur wegen der sportlichen Betätigung, sondern ebenso wegen des Sonnenbades in der winterlichen Natur.

16 Diese Landschaftsbilder *(auf diesen Seiten)* machen deutlich, weshalb zahllose Künstler von Österreichs Vielfalt an Kirchen, Bergen und Bächen inspiriert wurden. Nassereith *(oben links und oben)*, Lermoos *(unten links)*, die Mieminger Berge *(unten)* und Heiterwang *(rechts)*. Die Brennerautobahn *(nächste Seiten)* führt entlang der alten Römerstraße bis auf 1380 m Höhe zum Brennerpaß.

17 Jedes der Städtchen und Dörfer Tirols hat sein eigenes Gesicht. Seefeld *(rechts)* mit der barocken Seekapelle *(oben)* ist ein internationaler Wintersportplatz, und Igls *(oben links),* am Fuße des Patscherkofels, erfreut sich ebenfalls im Winter wie im Sommer großer Beliebtheit. Sölden *(unten links)* liegt am Eingang zum oberen Ötztal. Die Straße zum Timmelsjoch führt von hier aus weiter nach Obergurgl *(unten rechts).* Eine Umgebung von solch ausgesuchter Naturschönheit bringt auch eine Fülle künstlerischer Talente hervor, und so stammen viele Künstler aus den österreichischen Dörfern. Nauders *(links)* ist der Geburtsort des Malers Karl Blaas und des blinden Bildhauers Kleinhans. Die Pfarrkirche in Schönberg *(unten)* mit ihrer Rokokoausstattung zeugt für das kunsthandwerkliche Können, das sich vielerorts in Österreich erhalten hat.

Nächste Seiten: Am Fuße des Omeshorns funkeln die Lichter von Lech am Arlberg. Die aus dem 14. Jahrhundert stammende Pfarrkirche besitzt mehrere Rokokoaltäre.

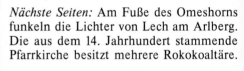

18 Holzgau *(oben links)* mit seinen liebevoll bemalten Häusern liegt im Lechtal nahe der Grenze zwischen Tirol und Vorarlberg, dem westlichsten Bundesland. Die Industrialisierung hat malerischen Dörfern wie Schröcken *(oben)* im Bregenzer Wald oder Wörth *(links)* nichts von ihrem Reiz genommen und ebensowenig die Beliebtheit der Wintersportzentren *(rechts)* beeinträchtigt.

Auf den Hängen bei St. Anton am Arlberg *(rechts außen)* hat Hannes Schneider seine berühmte Skitechnik entwickelt.

Am Fuße von Österreichs höchstem Berg, dem Großglockner, liegt Heiligenblut *(nächste Seiten)*.

Übernächste Seiten: Kufstein wird von dem wuchtigen Felsen mit der mittelalterlichen Festung Geroldseck überragt.

AUSTRIA – English captions

1 Undisturbed winter landscape of Vorarlberg.

2 *Top:* The Burgtheater and skyline of Vienna.
Left: The Volksgarten, a quiet refuge.
Right and top left: Schönbrunn palace.
Overleaf: »Hunters in the Snow« by Pieter Brueghel, one of the masterpieces in the Kunsthistorische Museum, Vienna.

3 Vienna's Spanish Riding School.

4 *Left:* The Benedictine monastery of Melk.
Right: The lovely old wine town of Krems.
Top: Schönbühel castle.
Overleaf: The old mining village of Hallstatt on the banks of the Hallstättersee.

5 *Top right and bottom:* St. Wolfgang.
Left: The Bischofsmütze reaches to 8058 ft.
Top: St. Johann and the spectacular Kitzbüheler Horn.
Right: On the shore of the Wolfgangsee lies St. Gilgen.
Overleaf: The village of Ellmau.

6 *These pages and overleaf:* Salzburg.

7 Villages and landscape of Tyrol.

8 Austrian skiing has a world-wide reputation.
Top and overleaf: The Kitzsteinhorn.

9 *Top:* Fieberbrunn, a ski and summer resort, is also famous for its sulphur baths.
Bottom left: The ski resort of Kitzbühel.
Bottom right: The Kitzbüheler Alps.

10 Austria possesses one of the finest skiing areas.
Overleaf: Hochsölden, one of many high altitude resorts.

11 *Top right:* The Biberkopf mountain.
Right: The picturesque village of Berwang.
Top: A village church near Seefeld.
Left: The green waters of the Fernsteinsee.
Bottom: A village band in traditional Tyrolean dress.
Overleaf: The village of Kirchberg.

12 *Right and top:* The village of Alpbach and one of its characteristic timber houses.
Left and bottom: The famous Zillertal.
Overleaf: Pertisau lies on the banks of the Achensee.

13 Villages in the Zillertal region.
Right: The Zillertal Alps.

14 *Top, left and bottom:* Innsbruck.
Right: Sunset over the Inn valley.
Overleaf: The village of Zirl huddles at the foot of fir-covered slopes.

15 Bustling skiing activity provides a sharp contrast to the peaceful winter landscape.

16 *Top and top left:* Nassereith.
Bottom left: Lermoos.
Bottom: The Mieminger Mountains.
Right: The village of Heiterwang.
Overleaf: The Brenner Autobahn climbs up to the Brenner Pass (4495 ft.), which forms the Italien and Austrian frontier.

17 Tyrolian winter sports centres:
Right and top: Seefeld.
Top left: Igls.
Bottom left: Sölden.
Bottom right: Obergurgl, in the Ötztal Alps, lies at an altitude of 6325 ft.
Left: Nanders, the birthplace of the famous painter, Karl Blaas, and the blind sculptor, Kleinhans.
Bottom: The Gothic parish church in Schönberg.
Overleaf: At the foot of the Omeshorn lies Lech, Arlberg.

18 *Top left:* Holzgau near the boundary between the provinces of Tyrol and Vorarlberg.
Top: The picturesque village of Schröcken.
Left: Wörth.
Far right: The slopes of St. Anton, Arlberg.
Overleaf: The Grossglockner, Austria's highest mountain and the village of Heiligenblut.
Following pages: Kufstein and Geroldseck castle.